UDC

中华人民共和国国家标准

P

GB/T 51178－2016

建材矿山工程测量技术规范

Technical code for engineering surveying of building materials mine

2016－08－18 发布　　　2017－04－01 实施

中华人民共和国住房和城乡建设部
中华人民共和国国家质量监督检验检疫总局　联合发布

UDC

中华人民共和国国家标准

P

GB/T 51085－2015

防风固沙林工程设计规范

Code for design of windbreak and sand fixation forest

2015－03－08 发布　　2015－11－01 实施

中华人民共和国住房和城乡建设部
中华人民共和国国家质量监督检验检疫总局　联合发布

中华人民共和国国家标准

防风固沙林工程设计规范

Code for design of windbreak and sand fixation forest

GB/T 51085-2015

主编部门：国　家　林　业　局
批准部门：中华人民共和国住房和城乡建设部
施行日期：2015 年 11 月 1 日

中国计划出版社

2015　北　京

中华人民共和国国家标准

防风固沙林工程设计规范

GB/T 51085-2015

☆

中国计划出版社出版

网址：www.jhpress.com

地址：北京市西城区木樨地北里甲11号国宏大厦C座3层

邮政编码：100038　电话：(010) 63906433（发行部）

新华书店北京发行所发行

北京市科星印刷有限责任公司印刷

850mm×1168mm　1/32　2印张　45千字

2015年10月第1版　2015年10月第1次印刷

☆

统一书号：1580242·747

定价：12.00元

中华人民共和国住房和城乡建设部公告

第779号

住房城乡建设部关于发布国家标准《防风固沙林工程设计规范》的公告

现批准《防风固沙林工程设计规范》为国家标准，编号为GB/T 51085—2015，自2015年11月1日起实施。

本规范由我部标准定额研究所组织中国计划出版社出版发行。

中华人民共和国住房和城乡建设部

2015年3月8日

前　　言

本规范是根据原建设部《关于印发〈2007年工程建设标准规范制订、修订计划(第二批)〉的通知》(建标〔2007〕126号)的要求，由国家林业局调查规划设计院编制完成。

本规范在编制过程中，编制组进行了广泛深入的调查研究，认真总结了多年来防风固沙林工程设计的经验教训，参考有关国际标准和国外先进标准，结合我国当前的经济发展水平，确定了规范的内容，并在广泛征求意见的基础上，反复讨论、修改和完善，最后经审查定稿。

本规范共分7章和4个附录，主要技术内容包括：总则、术语、综合调查、总平面图设计、营林造林工程设计、森林保护工程设计和配套工程设计等。

本规范由住房城乡建设部负责管理，国家林业局负责日常管理，国家林业局调查规划设计院负责具体技术内容的解释。本规范在执行过程中，如发现需要修改和补充之处，请将意见和有关资料寄送国家林业局调查规划设计院(地址：北京市东城区和平里东街18号，邮政编码：100714)，以供今后修订时参考。

本规范主编单位、主要起草人和主要审查人：

主编单位：国家林业局调查规划设计院

主要起草人：刘德晶　刁鸣军　杜滨宁　王宏伟　闫　平
刘　明　张志东　王继兴　余新晓　宋子刚
翟洪波　张　志　邓立斌　李　云　涂　琼
李　怡　慕晓炜　吴　锐　杨开良　郭立新
王文波　梦　莉　桑轶群　邹全程

主要审查人：张　军　王恩苓　何时珍　张志强　谢宝元
于宁楼　桑和会　张义军　刘绍娟　李显玉

目　　次

Contents

1 总　　则

1.0.1 为规范防风固沙林工程设计，保证防风固沙林工程建设质量，使防风固沙林工程建设在资源节约的前提下最大限度地获得生态效益，制定本规范。

1.0.2 本规范适用于新造和改造的防风固沙林建设工程的设计。

1.0.3 防风固沙林工程应根据经批准的防风固沙林工程项目可行性研究报告及批复文件进行设计。

1.0.4 防风固沙林工程设计应包括综合调查、总平面图设计、营造林工程设计、森林保护工程设计和配套工程设计等。

1.0.5 防风固沙林工程设计应明确工程规模、建设目的、建设原则和标准，并应优化设计方案；设计深度应能控制工程投资，并应满足土地征收、征用，以及主要设备订货、招标及施工准备的要求。

1.0.6 防风固沙林工程的设计，除应符合本规范外，尚应符合国家现行有关标准的规定。

2 术　　语

2.0.1 防风固沙林　defend the sand cures the sand plantation

在流动、半固定沙地和潜在土地沙漠化地区及沿海岸线等受风沙危害的城镇、村庄、农田、牧场、工矿区、公路、铁路、水利、特殊设施等周围，为治理和防止风沙侵害蔓延，国土整治而营造的由不同适生树种组成、具有一定结构、空间配置类型、能发挥固沙阻沙效能的森林。

2.0.2 国家特别规定的灌木林　bush plantation

特指分布在年均降水量400mm以下的干旱（含极干旱、干旱、半干旱）地区，或乔木分布（垂直分布）上限以上，或热带亚热带岩溶地区、干热（干旱）河谷等生态环境脆弱地带，专为防护用途，且覆盖度大于30％的灌木林地，以及部分以生态防护为主要目的，同时也可以获取经济效益进行经营的林分。

2.0.3 防风固沙林营造　forestation of sand-shifting control forest

借助自然力或人为措施形成防风固沙林的过程，主要包括封山（沙）育林、飞播造林和人工造林三种营造方式。

2.0.4 低效益防风固沙林　low efficiency stand sand-binding and wind control forest

指直接或间接受自然或人为因素干扰，导致森林生态防护功能低下的防风固沙林。

2.0.5 低效益防风固沙林改造　transformation of low efficiency stand sand-binding and wind control forest

为提高林分的质量和防护效益，对低效益的防风固沙林采取的林分结构调整,树种更新、补植补播、封育、林分抚育和嫁接复壮等营林措施。

2.0.6 林业有害生物 forest pest

指危害森林、林木和林木种子正常生长并造成损失的病、虫、动植物等有害生物。

2.0.7 透风系数 ventilation coefficient

林带背风面距林缘1m处林带高度范围内的平均风速与旷野同一高度平均风速之比。

3 综合调查

3.1 一般规定

3.1.1 防风固沙林工程设计前应进行综合调查。综合调查应包括专业调查、小班区划调查和栽植材料调查等。调查内容应按本规范表A执行。

3.1.2 防风固沙林工程设计，应对设计区域进行自然生态环境、社会经济发展状况及当地防风固沙林工程建设条件、生态建设情况、现有工程设施、居民点等要素调查。

3.1.3 防风固沙林设计前应调查生物沙障、机械沙障、灌溉设施等辅助工程或设施。

3.2 专业调查

3.2.1 灾害性因子调查应包括项目区的病、虫、鼠、兽、强风、冰雹、霜冻、干旱、雾凇、地质等。

3.2.2 社会经济条件调查应包括当地土地利用状况、国民经济发展水平、居民收入来源与消费水平、劳动力数量与劳动成本、交通与通信状况、农业现代化程度、林业机构与科学支撑能力等。

3.2.3 乔灌树种调查应包括乡土树种、引进适生树种资源和国家特别规定的灌木林的分布与生长状况，以及主要树种的生物学特性和经济利用价值等。

3.2.4 立地类型调查宜采用路线调查和样地调查相结合的方法。曾开展过立地类型调查，并编制过立地类型、造林类型、森林经营类型和立地指数表的工程区，经验证修改补充后可应用，在未编制过立地类型、造林类型、森林经营类型和立地指数表的工程区，应进行实地调查，并编制。

3.2.5 路线调查的内容应符合下列规定：

1 调查路线应借助地形图、航拍照片或卫星影像图布设；应按海拔、地形、土壤、母质、母岩、植被、林相等因子划分类型，且应选择有代表性的立地类型布设调查路线。

2 外业调查应沿拟定的路线前进，并应随时记载地形的明显变化，在地形、植被、土壤明显变化的典型地段应设点调查地形、植被、土壤因子。

3.2.6 样地调查的内容应符合下列规定：

1 地质、地貌调查应包括沙地、母岩的类型和特点，样地所在的地貌(大、中、小)、部位、坡度、坡向、坡位、坡形、海拔、对坡距、开阔度，以及地形对生物气候条件、土壤特性、群落发生与结构、林木生长的影响。

2 样地调查应按立地类型分别进行，每个类型不应少于3块实测样地，样地面积宜为10m×10m或2m×50m。调查因子宜按本规范表A的有关规定执行。

3 土壤调查剖面应以能完整、准确反映土壤种类特征，且能正常作业为度。土壤调查应分层记载土层厚度、土壤颜色、质地、结构、紧实度、石砾含量与大小、干湿度、新生体、侵入体、潜育程度、根系量、酸碱度、碳酸盐反应、土壤生物活动等情况。

4 植被调查应包括群落层次、结构，植物种类、多度、盖度、高度、物候期及分布状况，指示植物，群落名称，群落演替规律。

5 林分调查应包括林分起源、树种组成、林龄、郁闭度、平均树高、平均胸径、优势树高、蓄积量等。人工林还应调查造林技术措施，内容应包括种苗来源与规格、整地时间、整地方式方法及规格、造林时间和方法、初植密度、施肥、间种、抚育间伐等情况。

3.3 小班区划调查

3.3.1 小班调查内容应包括小班编号、权属、经营单位(业主)和负责人(经营承包者)姓名、地质、地貌、地形(坡度、坡向、坡位、坡形、开阔度等)、面积、土壤、植被类型,有林地小班还应记载测树因子、造林模型、经营措施类型、以往的经营措施等。已有小班调查时,应抽取部分小班复核其立地质量、经营面积、林地使用权等。

3.3.2 小班界线应利用明显地形线、地物等自然界线确定,同时宜兼顾经营管理措施的需要。地块的边界宜与地貌单元保持一致。人工区划的小班界线应与现地需要、林道、防火线或生态安全林带相结合。

3.3.3 小班的面积不宜超过 20hm^2。

3.4 栽植材料调查

3.4.1 调查应包括当地种子与苗木供需、现有苗圃、种子园、母树林、采穗园与优良林分情况,并应了解主要造林树种苗木标准,同时应查明从国内疫区及国外购进种子、种条等栽植材料的检疫与驯化情况。

3.4.2 苗圃调查应包括现有苗圃地的位置、立地特性、育苗面积、种子来源与质量、苗木种类与质量、育苗设施与技术措施。应调查每亩用种量与产苗量,以及育苗的规格、成本技术经济指标、技术力量及经验教训、病虫害种类、危害程度及防治措施。勘查可用于新建苗圃地的位置、立地条件、面积、权属等情况。

3.4.3 母树林调查应包括现有母树林的位置、面积、立地条件、树种、林龄、结实(种子的数量与质量)、经营管理措施与利用前景等情况。踏查可划为母树林的林分位置、面积、树种、林龄、林分密度、林木生长、病虫害、自然灾害、交通、权属等情况。

3.4.4 种子园调查应包括现有种子园的位置、面积、树种、年龄、提供用种的能力、建园材料等情况。

3.4.5 采穗圃调查应包括现有优良无性系采穗圃的位置、面积、树种、母树年龄、每年可供采穗条数量等情况。

4 总平面图设计

4.1 一 般 规 定

4.1.1 防风固沙林工程设计应按区域范围、功能分区、造林布局、辅助设施、外部衔接道路和内部交通线路等要素编制总平面图设计方案。总平面设计图应经实地勘察、论证、比选、优化后确定。

4.1.2 防风固沙林工程总平面图设计，应在大于或等于1∶10000比例尺的地形图、航空照片或卫星影像图上进行。底图基本要素应包括防风固沙林工程区域边界，森林资源现状、林相、水系、内部外部的路网，内部原有的工程设施、居民点等。

4.2 总平面图制图

4.2.1 防风固沙林工程总平面图设计，应先进行现状图的绘制，并应符合下列规定：

1 现状图底图要素应包括防风固沙林工程区域边界，内部原有的工程设施、居民点、道路、桥梁、明显地物标及其他人工建筑物、内部路网与外部的衔接条件等。

2 现状图的绘制，应以大于或等于1∶10000比例尺的地形图或卫星影像图为基础，并应在现场调绘，应把发生变化或图上没有的地形地物补测在图上，经整理后形成现状图。

4.2.2 总平面图设计方案的编制应以现状图为基础，并应符合下列规定：

1 编制总平面图设计方案时，应按各专业的勘察设计要求组织现场勘察。可根据工程规模及难易程度，采用一次外业勘察，并应分阶段设计；也可按各设计阶段的勘察要求分阶段勘察，并应分阶段设计。

2 防风固沙林工程总平面图的形成应根据实地勘察，通过方案比较和论证，采用安全、经济、合理的设计方案。

4.2.3 防风固沙林工程的交通运输路网、森林防火路网、森林防火隔离带网、森林防火林带网等应符合下列规定：

1 总平面图设计方案中，应包括连接种子园、母树林、苗圃、防火瞭望塔、造林地以及其他控制点的交通运输路网、森林防火路网、森林防火隔离带网、森林防火林带网，并应统筹布设、相互协调。

2 道路、森林防火隔离带、森林防火林带的设计应按相应的技术要求进行图上选线和方案比选。

3 防风固沙林工程区域内路网应与外部公共交通道路相衔接。

4 森林防火路网、森林防火隔离带网、森林防火林带网的密度应根据工程区的地形、植被、火险等级等条件确定。

4.2.4 竖向设计应与总平面设计同步进行，并应符合下列规定：

1 应合理利用自然地形，规避地质灾害区域，不占或少占耕地和林地，减少填挖土石方、护坡和挡土墙工程量。

2 应与场外已建和规划的道路、排水系统及周围场地的标高协调一致。

3 应满足管线敷设对高程的要求。

4 应有利于建筑布置与空间环境的设计。

4.2.5 防风固沙林工程总平面设计图应经方案修订、比选和优化后确定。

4.3 图 面 要 求

4.3.1 防风固沙林工程总平面设计图应以不同彩色虚线勾绘出防风固沙林类型区界，应以不同填充色表示建设类型，小班注记和各类符号应符合现行行业标准《林业工程制图标准》LYJ 002 和《林业地图图式》LY/T 1821 的有关规定。

4.3.2 总平面图设计图应以建设区域为单位分幅，当图幅过大时，可以区划系统的次级单元为单位分幅。比例尺宜为 1∶10000。

4.3.3 图名宜在图廓上方，应采用宋体或隶书表示；图框内空旷时，也可写在图廓内上方。字体大小宜按图幅确定。

4.3.4 图框内下方应绘图例、比例尺。

4.3.5 图框外右下方应注明设计单位、制图人、制图日期等内容。

5 营林造林工程设计

5.1 一 般 规 定

5.1.1 营林造林工程设计应包括新造防风固沙林营造工程设计和低效益防风固沙林改造工程设计。新造防风固沙林应包括造林准备，造林，未成林抚育管护、更新等。

5.1.2 营林造林工程设计应符合下列规定：

1 营造防风固沙林工程建设应符合国家有关生态公益林建设的要求，不应改变为其他用途。

2 在水资源短缺的地区，应协调河流上下游之间、不同用水单位水量利用的分配平衡关系。

3 不应毁林造林和破坏天然植被。对由于遭受强烈自然灾害很难恢复生长的林分，或树种与立地不匹配影响地力发挥的林分，应经林业主管部门批准后再列为改造对象。

4 营造防风固沙林宜采用封山（沙）育林、人工造林、飞播造林相结合，以及乔木、灌木、草本相结合的方式。

5 防风固沙林不应营造较大面积的纯林，宜营造混交林。树种或品种相同的两片纯林之间，可设置生态隔离林带、森林防火道路或森林防火林带。

6 营造林工程建设应结合生物多样性保护、水土保持、景观与游憩需求等因素，对古树名木、珍稀野生动植物、特殊景观等采取保护措施。

5.2 新建防风固沙林工程设计

5.2.1 树种选择应符合适地、适树、适种源的原则，应依据树种生物学和生态学特性、立地类型和防护对象需求确定，并应选择防护效能好、经济价值高的树种，宜选择乡土树种造林。不同区域营造防风固沙林的树种宜按本规范表B选择。

5.2.2 营造防风固沙林应选用良种壮苗，并应符合下列规定：

1 飞机播种造林用种子，应符合现行国家标准《林木种子》GB 7908、《飞机播种造林技术规程》GB/T 15162 规定的二级以上的种子质量标准。

2 容器苗应符合现行行业标准《容器育苗技术》LY/T 10000 规定的合格苗木标准。

3 裸根苗应符合现行行业标准《容器育苗技术》LY/T 10000 规定的一、二级苗木标准。

4 国家现行有关标准未作规定的造林树种的种子、苗木质量要求，应根据最新的科学研究成果，并结合当地群众的造林经验确定。

5.2.3 新建防风固沙林应根据防风固沙林工程建设规模、造林方式、造林密度及树种配置等确定，并应符合现行国家标准《主要造林树种苗木》GB 6000、《造林技术规程》GB/T 15776 的有关规定。

5.2.4 新建防风固沙林应符合生物多样性原则，应营造混交林，并应按不同区域进行防风固沙林工程造林的典型树种配置。

5.2.5 新建防风固沙林应根据立地类型、造林树种的生物学特性、植被现状及土壤侵蚀的风险程度确定造林整地方式、规格和时间，不应采用全面整地。造林整地应符合下列规定：

1 沙质土地区造林整地，不宜在大风季节进行。

2 固定或半固定沙地应于前一年秋末或冬初整地，流动沙地应随整地挖坑随栽植。

3 有冻拔危害的地区，可不预先整地，造林时可直接挖穴栽植。

4 南方降水充沛地区、水肥条件良好的造林地，应在栽植一个月前完成整地。

5 丘陵带状整地或水平阶整地时，应沿等高线进行，相邻带间应保留 0.5m～1.0m 的自然植被。集中连片整地面积不宜超过 $3hm^2$,丘陵进行整地宜保留原有植被。

6 不同整地类型、整地规格及应用条件宜按本规范表 C 选择。

5.2.6 防风固沙林营造密度应根据立地条件、树种生物学特性、植被土壤现状防护对象及经营水平确定。不同区域防风固沙林工程造林的主要造林树种的造林密度,宜按本规范表 D 选择。

5.2.7 防风固沙林营造应以封山(沙)育林(草)为主,并应结合飞播造林(草)。封山(沙)育林(草)应符合现行国家标准《封山(沙)育林技术规程》GB/T 15163 的有关规定;飞播造林治沙应符合国家现行标准《飞机播种造林技术规程》GB/T 15162 和《飞机播种治沙技术要求》LY/T 1186 的有关规定;人工治沙造林宜按现行国家标准《生态公益林建设技术规程》GB/T 18337.3 的有关规定执行。

5.2.8 在流动、半流动沙地背风坡脚造林的安全距离设计,应按下式计算:

$$L=\frac{H-h}{u}(v-s) \tag{5.2.8}$$

式中:L——安全距离(m);

H——沙丘高度(m);

h——苗高(m);

u——树木年高生长量(m);

v——沙丘年前进距离(m);

s——树种生长快、慢调整距离,取 0.4～0.8(m)。

5.2.9 林带宽度宜由 3 行～10 行林木组成,并应按下式计算:

$$d=-\frac{0.669\ln K}{\beta} \tag{5.2.9}$$

式中:d——林带宽度(m);

0.669——常数;

K——透风系数,取 0.5～0.6;

β——风速削弱系数，取 0.02～0.08。

5.2.10 林带带间距离应按下式计算：

$$L=eH \tag{5.2.10}$$

式中：L——带间距离（m）；

e——常数，H 的倍数，取 25～30；

H——林带的防护成熟高度，取 15～20（m）。

5.2.11 林网设计时，应采用小网格窄林带，透风系数应为 0.5～0.6 透风结构的林带。主林带间距宜为 150m～250m，副林带间距宜为 300m～400m，网格面积宜为 $4.5hm^2$～$6.0hm^2$，带宽宜为 5m～15m，宜为 3 行～6 行乔木；应根据主要害风风向及强度在林网内营造“两行一带”模式。

5.2.12 林带、林网走向应根据主要害风风向及发挥最大防护效能参数确定。主林带走向宜与主要害风方向呈 90°交角；副林带应与主林带正交，林带应与道路走向相同。

5.2.13 造林季节和时间应根据立地条件、气候条件、树种特性、造林方式和经营要求等因素综合确定。

5.2.14 未成林抚育措施应包括除草、扩穴松土、施肥、灌溉等，并应在造林后 1 年～4 年内进行，每年应为 1 次～3 次，宜在 6 月～8 月进行。抚育宜采用扩穴松土与除草相结合的形式，不宜采用全面垦抚。化学除草剂应根据树种的生物学特性确定配比，应按使用要求使用，并应符合环境保护的有关规定。

5.2.15 施肥应根据气候条件、土壤条件、苗木特性和肥料性质确定。施肥过程中应有机肥与无机肥、速效肥与迟效肥搭配。有灌溉条件的造林地应根据建设条件修建水利设施，并应采用节水灌溉技术；每年早春树液流动前和干旱季节应适时灌溉 1 次～3 次；无灌溉条件时应采取人工补水措施。

5.2.16 沙障固沙应包括再生沙障和机械沙障。配置方式，在单一风向或正反交互风向的地区，宜带状配置，在多风向作用地区，宜格状配置，并应符合下列规定：

1　采用再生沙障固沙时，沿垂直主风方向的沙丘迎风坡应栽植长度50cm～70cm，且直径0.6cm～0.8cm的一年生沙柳枝条，地上应露出15cm～20cm，其余应埋入沙中，沙障规格宜为(4～6)m×(4～6)m网格状配置。

2　采用机械沙障固沙时，在沙丘迎风坡沿垂直主风方向应平铺麦秸或稻草，并应将草中部压入沙内15cm，地上应露出15cm～20cm，草厚应为5cm～6cm。沙障规格宜为1m×1m。

5.3　低效益防风固沙林改造工程设计

5.3.1　低效益防风固沙林改造应因地制宜、适地适树并注重改造效果；应遵循生物学原理，并应保护生物多样性。符合下列条件之一的防风固沙林应进行改造：

1　林木分布不均，林隙多，郁闭度小于0.2。

2　近中龄林且仍未郁闭，林下植被盖度小于0.4。

3　单层纯林尤其是单一针叶树种的纯林，林下植被盖度小于0.2。

4　病虫害或其他自然灾害严重，病腐木超过20%。

5　小老头树。

5.3.2　低效益防风固沙林改造对象与改造方式应符合表5.3.2的规定。

表5.3.2　低效益防风固沙林改造对象与改造方式

改造名称	改造对象	改造方式	备注
封禁改造	因受人、畜破坏，导致林木不能正常生长、有一定数量目的树种的幼苗幼树、具有天然更新能力的母树、自然更新有障碍的林分	应封禁保育，并应人工促进更新	—

续表 5.3.2

改造名称	改造对象	改造方式	备注
块状改造	因树种选择不当，密度稀疏、生长衰退的林分	山地，单块面积不宜超过 $3hm^2$； 平川或河滩地，单块面积不宜超过 $10hm^2$，相邻块间距离宜为改造林分平均高的 2 倍～5 倍	按现行国家标准《森林抚育规程》GB/T 15781 的有关规定执行
带状改造	易发生风蚀、水蚀地段、防护功能低下的林分	应沿等高线设置采伐带，带宽度不得超过林分平均高的 2 倍，间隔距离不得小于采伐带宽度	及时更新，待幼树生长稳定后，再改造剩余林分
间伐补植改造	生长衰退、受害严重、无培育前途的林木	应保留生长健壮、中幼龄级的目的树种；应人工促进形成针阔混交树种	—
林冠下更新改造	防护功能低下、经济价值低、生长衰退、无培育前途的林分	应在林冠下培植耐荫、经济价值较高的树种，待更新层形成后伐除非目的林木	—
嫁接改造	生长不良、无培育前途并适宜嫁接的林木	应通过嫁接优良树种，改造成有培育前途的新林	仅适用于本区域经济价值较高的经济林
平茬改造	经济生态效益低下、萌蘖生长能力强的林分	宜在休眠期进行平茬，并宜对萌发的新枝条进行定株、修枝	—

5.3.3 林分郁闭后，宜根据林分长发育状况，进行修枝、透光伐、疏伐、生长伐，并应按现行国家标准《森林抚育规程》GB/T 15781

的有关规定执行。

5.3.4 修枝宜在早春或晚秋树木休眠期进行。修枝间隔期宜为2年～3年。

5.3.5 森林更新应以天然更新和人工促进天然更新为主、人工更新为辅。下列情况应按现行国家标准《森林抚育规程》GB/T 15781的有关规定执行：

1 同龄林主要树种平均林龄达到防护成熟；

2 异龄林大径级立木蓄积比例达到70％～80％；

3 濒死木超过30％；

4 病虫害危害严重。

5.3.6 同龄林应采用间伐和择伐的作业方式；异龄林或天然次生林应采取径级作业法。采伐木应按立木径级大小、所处的地段和优势树种确定，并应同时满足大径木蓄积比和最小采伐胸径指标的要求，一次采伐强度不得大于蓄积量的15％，间隔期应大于10年。

6 森林保护工程设计

6.1 一般规定

6.1.1 防风固沙林工程设计应进行森林保护工程设计，森林保护工程设计应包括森林防火工程、林业有害生物防治工程及其他灾害防治工程设计等内容。

6.1.2 森林保护工程设计应贯彻“预防为主、综合防治”的森林保护方针，应建立科学、规范的森林保护专业管理体系。

6.1.3 森林保护工程应结合项目区地形、地质、气象等自然条件，并经技术经济比较后设计，不得破坏生态环境和自然景观，并应符合安全、卫生、节约的要求。

6.2 森林防火

6.2.1 森林防火工程设计的主要内容应包括森林火险预测预报工程设计、火情瞭望监测工程设计、森林防火阻隔工程设计、林火信息和指挥工程设计等。

6.2.2 防风固沙林集中连片、面积在 $5000hm^2$ 以上或不足 $5000hm^2$ 而实际需要时，均应建设火情瞭望监测工程。

6.2.3 防风固沙林防火阻隔网设置密度，应根据自然条件、火险等级、经营强度和森林防火的需求确定，其阻隔网格控制面积应为 $50hm^2$～$200hm^2$。

6.2.4 防风固沙林的森林防火隔离带应根据自然条件设置。对有特殊要求和不适于设防火隔离带的地段，应选用其他相应的有效设施。

6.2.5 拟建设的防风固沙林工程，应在设计生产性道路的同时，同步设计森林防火道路。森林防火道路应由现有道路、设计的生产性道路和巡护步道等组成。

6.3 林业有害生物防治工程

6.3.1 林业有害生物防治工程建设应贯彻“预防为主、科学防控、依法治理、促进健康”的原则，应做好林业有害生物预测预报工作，并应合理采取生物、物理和化学等防治措施。

6.3.2 林业有害生物防治应采用生物防治方法，并应保护和利用害虫天敌，同时应改善害虫天敌的生存和繁衍环境。

6.3.3 林业有害生物宜采用人工或光、电、热等物理方法选择诱捕、诱杀。

6.3.4 在病虫害暴发流行、危害严重的情况下，宜采用化学防治。化学防治应选用高效低残毒农药，并应使用合理的剂量和正确的施药方法，农药残留不得超过国家规定的标准。

6.3.5 对防风固沙林内危害严重的植株，应及时伐除并采取除害措施，应严格控制林业有害生物蔓延。

6.4 其他灾害防治

6.4.1 播种育苗、造林，在幼苗出土时，应采取巡护或采取防鼠、兔、鸟、兽、畜等危害的伪装措施。

6.4.2 新造林地、未成林造林地，应设置防止鼠、兔等啮齿类野生动物及家畜、家禽危害苗木的围栏、防护罩或其他保护设施。

6.4.3 易受霜冻危害地区，应在霜冻来临前采取浇水、熏烟、埋土、盖草、覆膜或建风障等防寒防冻措施。

6.4.4 不耐寒的未成林，封冻前应灌足底水，并应根据树种特性和形体大小分别采取埋土、盖草或风障等防寒措施。易发生生理干旱的树种，在防寒结束后应立即灌一次透水。

6.4.5 易受风沙危害的未成林地应设置风障。

7 配套工程设计

7.1 一 般 规 定

7.1.1 防风固沙林工程中的管护用房、种子园、母树林、苗圃和其他站点涉及的建筑工程，应根据其使用功能的技术要求和交通、消防、环保、安全、绿化等要求，结合地形、地质、气象等自然条件，经技术经济比较后布置。

7.1.2 防风固沙林工程的道路、给排水、供电、供热、通信、有线广播电视等线路布置，不得破坏生态环境和自然景观，并应符合安全、卫生、节约、环保和便于维修的要求。供电、给排水工程配套设施应设置在隐蔽地带。

7.1.3 防风固沙林工程的辅助生产设施工程，应与附近城镇联网，当经论证确有困难时，可部分联网或自成体系，并应为今后联网创造条件。

7.1.4 沙区和丘陵地区，主要建筑物应布置在地形和地质条件较好的地段。沿山坡布置的建筑物，除应符合采光、通风、施工等要求外，尚应采取防止坍塌、泥石流等地质灾害措施。

7.1.5 分期建设的配套工程，应按功能统筹布置，并应确定配套工程的预留续建用地位置。

7.1.6 防风固沙林工程的各类建筑工程设计，除应满足使用功能要求外，其高度、体量、空间组合、造型、材料、色彩等的建筑设计，应与周围环境相协调。

7.1.7 位于城镇的防风固沙林工程的配套设施工程设计，应符合当地城镇总体规划的要求。

7.2 管 护 用 房

7.2.1 管护用房应包括主体建筑工程和辅助建筑工程，主体建筑工程应包括办公室、宿舍等，辅助建筑工程应包括食堂、车库、仓库、锅炉房和配电室等。辅助建筑工程量不应超过主体建筑工程量的20%。

7.2.2 管护用房应选用节能环保建筑材料，宜就地取材。

7.2.3 管护用房的建设应符合下列规定：

1 有利生产，并应便于经营管理，同时应方便职工生活。

2 地势应平坦开阔且较高，地质结构应稳固，并应有100m²～200m²建设用地。

3 具备符合饮用水标准的水源。

7.3 道路工程

7.3.1 防风固沙林工程道路工程应由运输道路、防火道路、巡护道路（包括摩托车道和巡护步道）等组成，并应满足交通运输、生产经营、森林保护和日常管理的需要。

7.3.2 防风固沙林工程的道路工程应在总平面设计中统筹布设；设计生产性道路的同时，应同步设计森林保护道路。

7.3.3 防风固沙林工程生产区和经营管理区与外部交通衔接的路段，可按现行行业标准《林区公路工程技术标准》LY 5104有关Ⅰ级或林Ⅱ级的标准执行。

7.3.4 防风固沙林内用于集材生产和森林保护的道路建设，可按现行行业标准《林区公路工程技术标准》LY 5104有关Ⅲ级或林Ⅳ级标准执行。其他衔接道路，可按林Ⅳ级标准执行。

7.3.5 防风固沙林内摩托车道的路基宽应为1.5m～2.0m，可不设路面，必要时可设低级路面。最大纵坡不宜大于12%，平曲线半径不宜小于7.0m。

7.3.6 防风固沙林内巡护步道路宽应为0.5m～1.5m。纵坡大于18%的陡坡处可设台阶。台阶踏步宽应为30cm～40cm，高度应为12cm～18cm。

7.3.7 其他道路可按有关林区道路的规定执行。

7.4 其他工程

7.4.1 防风固沙林工程的给水工程应包括生活用水、生产用水和消防用水的供给。

7.4.2 防风固沙林工程中的管护用房、种子园、母树林、苗圃和各种站点，应利用当地已有的给水管网，周边无可利用的给水管网时，可采用其他给水方式。

7.4.3 防风固沙林工程的排水工程，应符合生活污水、生产污水以及雨水排放的有关规定。

7.4.4 防风固沙林工程的供电工程，应采用国家或地方现有电网，当无电网可利用或利用现有电网不经济时，可自备电源。

7.4.5 防风固沙林工程的供热工程，应利用周边的供热系统。自行供热时，在电力或燃油（气）供应充足的前提下，应采用电力或燃油（气）供热。

7.4.6 防风固沙林工程通信工程应根据当地的通信条件和对内、外部通信的传输要求进行设计，并应符合技术先进、经济合理、安全适用、维护管理方便的原则。

7.4.7 采用无线通信方式时，所选用的通信设备应符合现行行业标准《无线通信设备电磁照射符合性要求》YD/T 2194.1 的有关规定，在频段选择和发射功率上不应对外围地区形成电磁波干扰。

7.4.8 防风固沙林工程有线广播、电视工程，应纳入地方有线广播、电视网。当无广播、电视网时，应根据生产生活需要建立卫星地面接收站或配备小型地面卫星接收装置。

附录A 防风固沙林样地调查

表A 防风固沙林样地调查表

<table>
<tr><td rowspan="2">位置</td><td colspan="2">省(自治区)</td><td colspan="2">县(市、区)</td><td colspan="2">乡(林场)</td><td colspan="2">村(林班)</td></tr>
<tr><td>小地名</td><td>小班</td><td>北纬</td><td></td><td>东经</td><td></td><td colspan="2"></td></tr>
<tr><td rowspan="2">气候条件</td><td>年均温(℃)</td><td></td><td>1月均温(℃)</td><td></td><td>7月均温(℃)</td><td></td><td>年无霜期(d)</td><td>d</td></tr>
<tr><td>年降雨量(mm)</td><td></td><td>年蒸发量(m)</td><td></td><td>害风日数(d)</td><td></td><td colspan="2"></td></tr>
<tr><td rowspan="2">地形地貌</td><td>地貌类型</td><td></td><td>海拔(m)</td><td></td><td>坡向</td><td></td><td>坡度</td><td></td></tr>
<tr><td>坡位</td><td colspan="7"></td></tr>
<tr><td rowspan="2">土壤</td><td>母岩</td><td></td><td>土类</td><td></td><td>土壤名称</td><td></td><td>土层厚度(cm)</td><td></td></tr>
<tr><td>腐殖质
层厚度(mm)</td><td></td><td>pH值</td><td></td><td>石砾含量(%)</td><td></td><td>沙丘高度(m)</td><td></td></tr>
<tr><td rowspan="3">植被情况</td><td>主要乔木树种</td><td></td><td>郁闭度</td><td></td><td>分布情况</td><td></td><td colspan="2"></td></tr>
<tr><td>主要灌木树种</td><td></td><td>灌木层盖度(%)</td><td></td><td>灌木层高度(m)</td><td colspan="3"></td></tr>
<tr><td>主要地被植物</td><td></td><td>草本层盖度(%)</td><td></td><td>草本层高度(m)</td><td colspan="3"></td></tr>
</table>

续表 A

位置	省(自治区)		县(市、区)		乡(林场)		村(林班)	
	小地名	小班	北纬		东经			
林分状况	林分起源		树种组成		郁闭度		林分密度(株/hm^2)	
	平均胸径(cm)		平均树高(m)		蓄积量(m^3)			
	病害种类		危害程度		虫害种类		危害程度	
灾害调查	鼠害		兽害		低温		冰雹	
	风害		其他灾害					
小班情况	面积(hm^2)		林地使用权		立地质量			
苗圃地调查	面积(hm^2)		位置		权属		育苗树种	
	苗木产量(万株)		病虫鼠害					
母树林调查	面积(hm^2)		位置		权属		树种	
	种子产量(kg)		病虫鼠害		年龄			
种子园调查	面积(hm^2)		位置		权属		树种	
	种子产量(kg)		病虫鼠害		年龄			

附录B　防风固沙林工程重点地区主要树种选择

表B　防风固沙林工程重点地区主要树种选择表

造林分区	涉及主要省、市、区、县范围	主要适宜树种（含灌木）
东北地区	黑龙江：哈尔滨市、齐齐哈尔市郊、龙江县、泰来县、甘南县、富裕县、讷河市、大庆市郊、肇源县、杜蒙县齐齐哈尔市、黑河市、伊春市、鹤岗市、佳木斯市、双鸭山市、七台河市、鸡西市、牡丹江市、绥化市、大兴安岭地区 吉林：农安县、双阳区、永吉县、磐石市、梨树县、伊通满族自治县、东辽县、东丰县、通化县、辉南县、柳河县、靖宇县、抚松县、长白朝鲜族自治县、乾安县、前郭尔罗斯蒙古族自治县、梅河口市、集安市、九台市、桦甸市、蛟河市、榆树市、舒兰市、临江市、德惠市、延吉市、图们市、敦化市、龙井市、珲春市、和龙市、安图县、汪清县、洮北区、大安市、洮南市、镇赉县、通榆县 辽宁：长海县、岫岩满族自治县、抚顺县、新宾满族自治县、清原满族自治县、本溪满族自治县、桓仁满族自治县、宽甸满族自治县、北镇满镇自治县、辽阳县、灯塔市、铁岭县、西丰县、瓦房店市、海城市、普兰店市、东港市、开原市、庄河市、大石桥市、盖州市、凤城市、阜新蒙古族自治县、彰武县、昌图县、建平县、北票市、康平县、法库县、新民市、黑山县、义县、辽中县、台安县、盘山县、瓦房店市、连山区、龙港区、绥中县、兴城市、铁西区、长兴岛区 内蒙古：科右前旗、乌兰浩特市、扎赉特旗、阿尔山市、扎兰屯市、阿荣旗、莫力达瓦旗、鄂伦春自治旗、牙克石市、根河市、额尔古纳市	云杉、冷杉、樟子松、油松、落叶松、侧柏、杜松、刺槐、槐树、蒙古栎、辽东栎、槲栎、臭椿、白榆、山杏、水曲柳、花曲柳、黄菠萝、胡桃楸、糖槭、旱快柳、小黑杨、群众杨、新疆杨、白城杨、赤峰杨、银白杨、中黑防1号、中黑防2号、中绥4号、中绥12号、钻中杨、旱布329柳、垂暴109、紫穗槐、李子、大扁杏、柽柳、灌木柳、沙棘、胡枝子、虎榛子、锦鸡儿、鼠李、山竹子等

续表 B

造林分区	涉及主要省、市、区、县范围	主要适宜树种（含灌木）
西北、华北地区	内蒙古：科右中旗、突泉县、霍林郭勒市、科左中旗、科左后旗、开鲁县、库伦旗、奈曼旗、扎鲁特旗、科尔沁区、阿拉善左旗、阿拉善右旗、额济纳旗、乌达区、海南区、海渤湾区、乌拉特后旗、磴口县、杭锦后旗、新城区、回民区、玉泉区、赛罕区、土默特左旗、托克托县、和林格尔县、清水河县、武川县、昆都仑区、东河区、青山区、石拐区、九原区、土默特右旗、固阳县、达尔罕茂明安联合旗、红山区、元宝山区、松山区、阿鲁科尔沁旗、巴林左旗、巴林右旗、林西县、克什克腾旗、翁牛特旗、喀喇沁旗、宁城县、敖汉旗、锡林浩特市、二连浩特市、阿巴嘎旗、苏尼特左旗、苏尼特右旗、东乌珠穆沁旗、西乌珠穆沁旗、太仆寺旗、镶黄旗、正镶白旗、正蓝旗、多伦县、丰镇市、卓资县、化德县、商都县、兴和县、凉城县、察右前旗、察右中旗、察右后旗、四子王旗、临河市、五原县、乌拉特前旗、乌拉特中旗、东胜区、达拉特旗、准格尔旗、鄂托克前旗、鄂托克旗、杭锦旗、乌审旗、伊金霍洛旗 新疆：库尔勒市、轮台县、尉犁县、若羌县、且末县、焉耆回族自治县、和静县、和硕县、博湖县、阿克苏市、温宿县、库车县、沙雅县、新和县、拜城县、乌什县、阿瓦提县、柯坪县、阿图什市、阿克陶县、阿合奇县、乌恰县、喀什市、疏附县、疏勒县、英吉沙县、泽普县、莎车县、叶城县、麦盖提县、岳普湖县、伽师县、巴楚县、塔什库尔干塔吉克自治县、和田市、和田县、墨玉县、皮山县、洛普县、策勒县、于田县、民丰县、阿拉尔市 新疆：乌鲁木齐市、乌鲁木齐县、独山子区、克拉玛依区、白碱滩区、乌尔禾区、吐鲁番市、鄯善县、托克逊县、哈密市、巴里坤县、伊吾县、昌吉市、阜康市、米泉区、呼图壁县、玛纳斯县、奇台县、吉木萨尔县、木垒哈萨克自治县、博乐市、精河县、温泉县、奎屯市、察布查尔县、霍城县、乌苏市、额敏县、沙湾县、托里县、裕民县、和布克赛尔蒙古自治县、阿勒泰市、布尔津县、富蕴县、福海县、哈巴河县、青河县、吉木乃县、石河子市	樟子松、油松、侧柏、落叶松、杜松、云杉、冷杉、刺槐、沙枣、尖翅花曲柳、胡杨、白榆、小叶杨、新疆杨、箭杆杨、二白杨、小黑杨、银中杨、中黑防1号、中黑防2号、中绥4号、中绥12号、旱柳、旱布329柳、垂暴109柳、四翅滨藜、山杨、青杨、桦树、蒙古扁桃、巴旦杏、欧李、山杏、梭梭、柠条、沙枣、柽柳、沙柳、黄柳、乌柳、沙木蓼、杨柴、沙地柏、沙蒿、胡枝子、紫穗槐、杞柳、沙棘、花棒、银沙槐、黄刺玫、榆叶梅、沙拐枣等

续表 B

造林分区	涉及主要省、市、区、县范围	主要适宜树种（含灌木）
西北、华北地区	甘肃：敦煌市、玉门市、阿克塞县、瓜州县、肃北县、甘州区、肃南县、临泽县、高台县、山丹县、嘉峪关市市辖区、金塔县、民乐县、肃州区、皋兰县、凉州区、民勤县、古浪县、金川区、永昌县、靖远县、景泰县、平川区、环县 陕西：榆阳区、神木县、府谷县、横山县、靖边县、定边县、佳县、大荔县、吴旗县 宁夏：兴庆区、金凤区、西夏区、永宁县、贺兰县、灵武市、平罗县、惠农区、大武口区、利通区、红寺堡开发区、盐池县、同心县、青铜峡市、沙坡头区、中宁县 山西：新荣区、阳高县、天镇县、浑源县、左云县、大同县、朔城区、平鲁区、山阴县、应县、右玉县、怀仁县、神池县、五寨县、河曲县、保德县、偏关县 北京：昌平区、大兴区、怀柔区、平谷区、密云县、延庆县、房山区 天津：蓟县 河北：宣化县、张北县、康保县、沽源县、尚义县、阳原县、怀安县、万全县、怀来县、平泉县、丰宁满族自治县、围场满族蒙古族自治县	
黄河中下游地区	山东：天桥区、平阴县、济阳县、商河县、章丘市、胶南市、高青县、东营区、河口县、垦利县、利津县、广饶县、芝罘区、牟平区、莱山区、龙口市、莱州市、蓬莱市、招远市、海阳市、寒亭区、寿光市、昌邑市、泰山区、岱岳区、宁阳县、东平县、新泰市、肥城市、东港区、岚山区、莒县、莱城区、钢城区、兰山区、罗庄区、河东区、沂南县、沂水县、费县、莒南县、蒙阴县、临沭县、东昌府、阳谷县、莘县、茌平县、东阿县、冠县、高唐县、临清市、滨城区、惠民县、阳信县、沾化县、博兴县、邹平县、牡丹区、曹县、单县、成武县、巨野县、郓城县、鄄城县、定陶县、东明县、临邑县、齐河县、平原县、夏津县、武城县、禹城市	华山松、油松、杜松、白皮松、赤松、落叶松、云杉、冷杉、侧柏、白桦、山杨、榆、杜梨、文冠果、槲栎、丁香、山杏、刺槐、泡桐、臭椿、旱柳、毛白杨、河北杨、沙兰杨、

续表 B

造林分区	涉及主要省、市、区、县范围	主要适宜树种（含灌木）
黄河中下游地区	河南：管城回族区、金水区、惠济区、中牟县、新郑市、龙亭区、顺河区、鼓楼区、禹王区、杞县、通许县、尉氏县、开封县、兰考县、滑县、内黄县、浚县、淇县、新乡县、原阳县、延津县、封丘县、长垣县、卫辉市、辉县市、武陟县、温县、孟州市、清丰县、南乐县、范县、台前县、濮阳县、鄢陵县、梁园区、睢阳区、民权县、睢县、宁陵县、虞城县、夏邑县、川汇区、扶沟县、西华县、淮阳县、太康县 河北：正定县、行唐县、灵寿县、深泽县、无极县、赵县、辛集市、藁城市、晋州市、新乐市、唐山市路南区、丰南区、丰润区、滦县、滦南县、乐亭县、迁安市、昌黎县、卢龙县、临漳县、大名县、永年县、邱县、鸡泽县、馆陶县、邢台县、隆尧县、南和县、巨鹿县、新河县、广宗县、威县、南宫市、沙河市、清苑县、定兴县、高阳县、望都县、蠡县、博野县、雄县、涿州市、定州市、安国市、高碑店市、东光县、南皮县、献县、孟村回族自治县、河间市、廊坊市安次区、固安县、永清县、香河县、霸州市、三河市、枣强县、武邑县、饶阳县、安平县、景县、冀州市、深州市 北京：通州区、顺义区、朝阳区、丰台区 天津：东丽区、西青区、北辰区、武清区、宝坻区 安徽：界首市、太和县、砀山县、萧县、谯城区 江苏：丰县、沛县、铜山县、睢宁县、新沂市、邳州市、灌云县、灌南县、清河区、楚州区、淮阴区、涟水县、响水县、滨海县、阜宁县、射阳县、东台市、大丰市、宿城区、宿豫区、泗阳县、云龙区	青杨、楸、槭属、红桦、桦树、四翅滨藜、山杏、沙棘、枸杞、山刺枚、柠条、白蜡、灌木柳、麻栎、栓皮栎、蒙古栎、色木、椴树、槐、泡桐、黄栌、漆树、盐肤木、白檀、八角枫、天女木兰、紫穗槐、柽柳、白刺、火炬树、榆叶梅、杜鹃、锦鸡儿、小檗、蔷薇等

续表 B

造林分区	涉及主要省、市、区、县范围	主要适宜树种（含灌木）
长江流域地区	江西：南昌县、新建县、庐山区、永修县、星子县、都昌县、湖口县、彭泽县、月湖区、余江县、贵溪市、赣县、宁都县、于都县、兴国县、丰城市、樟树市、临川区、南城县、崇仁县、乐安县、信州区、上饶县、广丰县、铅山县、横峰县、弋阳县、余干县、鄱阳县、万年县 湖北：蔡甸区、江夏区、黄陂区、新洲区、阳新县、当阳市、枝江市、谷城县、老河口市、枣阳市、宜城市、鄂州市市辖区、华容区、鄂城区、屈家岭管理局、京山县、钟祥市、孝昌县、云梦县、应城市、安陆市、汉川市、公安县、监利县、江陵县、石首市、洪湖市、松滋市、浠水县、麻城市、曾都区、仙桃市、潜江市、天门市 湖南：岳麓区、望城县、岳阳楼区、云溪区、君山区、岳阳县、华容县、湘阴县、汨罗市、临湘市、武陵区、鼎城区、安乡县、汉寿县、澧县、津市市、资阳区、赫山区、南县、沅江市 重庆：开县、云阳县 云南：东川区、寻甸县、陆良县、会泽县、华宁县、峨山县、新平县、元江县、隆阳区、腾冲县、龙陵县、昌宁县、鲁甸县、巧家县、盐津县、永善县、元谋县、武定县、大理市、宾川县、南涧县、巍山县、瑞丽市、潞西市、梁河县、盈江县、陇川县、玉龙县、永胜县、临翔区、云县	马尾松、云南松、华山松、思茅松、高山松、湿地松、加勒比松、黑松、落叶松、火炬松、水杉、杉木、云杉、冷杉、柳杉、秃杉、黄杉、滇油杉、柏木、藏柏、墨西哥柏、冲天柏、侧柏、栓皮栎、青冈栎、滇青冈、高山栎、高山栲、元江栲、樟树、帧楠、檫木、光皮桦、白桦、红桦、西南桦、响叶杨、滇杨、意大利杨、红椿、臭椿、苦楝、旱冬瓜、桤木、榆树、朴树、旱莲、木荷、黄连木、珙桐、山毛榉、鹅掌楸、川楝、楸树、滇楸、梓木、刺愧、昆明朴、柚木、银桦、女贞、铁刀木、银荆、枫香、楠竹、慈竹、油茶、胡枝子、黄荆、黑荆树、

续表 B

造林分区	涉及主要省、市、区、县范围	主要适宜树种（含灌木）
长江流域地区	四川：大安区、富顺县、西区、仁和区、米易县、盐边县、江阳区、纳溪区、龙马潭区、泸县、合江县、罗江县、广汉市、绵竹市、元坝区、朝天区、旺苍县、船山区、安居区、蓬溪县、东兴区、资中市、市中区、沙湾区、五通桥区、犍为县、高坪区、嘉陵区、蓬安县、阆中市、东坡区、彭山县、青神县、宜宾县、南溪县、屏山县、武胜县、汉源县、石棉县、通江县、平昌县、雁江区、简阳市、汶川县、理县、茂县、松潘县、西昌市、德昌县、会理县、会东县、宁南县、普格县、布拖县、金阳县、冕宁县、美姑县、雷波县 贵州：铜仁市、江口县、玉屏县、石阡县、思南县、德江县、沿河县、金沙县、威宁县、黄平县、施秉县、三穗县、镇远县、天柱县、榕江县	榔榆、朴树、白榆、旱柳、皂角、乌柏、合欢、短柄木包、淡竹、柽柳、枸杞、单叶蔓荆、枣、牛奶子、泡桐、梓树、枫杨、红树类、木麻黄、窿缘桉、雷林一号桉、赤桉、刚果桉、台湾相思、大叶相思、马占相思、粗果相思、勒仔树、露兜类、香蒲桃、红树类、乌柏、棕榈、甜槠、榕树、橄榄、牡竹、麻竹、龙竹、黄桐等
青藏高原地区	青海：格尔木市、德令哈市、乌兰县、都兰县、大柴旦、冷湖镇、茫崖镇、天峻县、泽库县、共和县、贵德县、贵南县、玛沁县、玛多县、治多县、曲麻莱县、海晏县、刚察县 西藏：城关区、林周县、当雄县、尼木县、曲水县、堆龙德庆县、达孜县、墨竹工卡县、昌都县、江达县、贡觉县、类乌齐县、丁青县、察雅县、八宿县、左贡县、芒康县、洛隆县、边坝县、乃东县、扎囊县、贡嘎县、桑日县、琼结县、曲松县、措美县、洛扎县、加查县、隆子县、错那县、浪卡子县、日喀则市、南木林县、江孜县、定日县、萨迦县、拉孜县、昂仁县、谢通门县、白朗县、仁布县、康马县、定结县、仲巴县、亚东县、吉隆县、聂拉木县、萨嘎县、岗巴县、那曲县、嘉黎县、比如县、聂荣县、安多县、	青海云杉、大果圆柏、小叶杨、高山松、乔松、侧柏、西藏云杉、藏川杨、北京杨、新疆杨、柳树、长蕊柳、沙棘、红柳、水柏枝、砂生槐、花棒、紫穗槐等

续表 B

造林分区	涉及主要省、市、区、县范围	主要适宜树种（含灌木）
青藏高原地区	申扎县、索县、班戈县、巴青县、尼玛县、普兰县、札达县、噶尔县、日土县、革吉县、改则县、措勤县、林芝县、工布江达县、米林县、墨脱县、波密县、察隅县、朗县 四川：九寨沟县、金川县、小金县、黑水县、马尔康县、壤塘县、阿坝县、若尔盖县、红原县、康定县、泸定县、丹巴县、九龙县、雅江县、道孚县、炉霍县、甘孜县、新龙县、德格县、白玉县、石渠县、色达县、理塘县、巴塘县、乡城县、稻城县、得荣县、玛曲县	

附录C　防风固沙林工程整地规格及应用条件

表C　防风固沙林工程整地规格及应用条件表

整地类型		整地规格	整地要求	应用条件
穴状整地	小穴	圆形：直径0.3m～0.4m，松土深度0.3m；方形：边长0.4m～0.5m，深0.3m	表土回填坑内，心土放置坑外沿踏实	坡度5°以上的山区、沙地的小苗造林
	大穴	方形：0.6m～1.0m，松土深度0.6m～0.8m	挖出心土作宽0.2m、高0.1m的埂，表土回填	坡度5°以上的平缓造林地大苗造林和干鲜果树
鱼鳞坑整地		长径0.8m～1.2m，短径0.5m～0.8m，坑深0.3m～0.5m	根据设计造林的株行距，在定点范围内挖取0.20m厚表土放置鱼鳞坑长径上沿，继续在坑内挖深0.25m并将生土放置下沿筑成高0.25m土埂，再将上沿表土回填坑内，坑的两侧分别预留出0.2m的溢水口。上下两行鱼鳞坑呈“品”字形交错排列	用于半干旱地区土层较薄、坡面破碎的丘陵造林地
水平阶整地		阶宽1.0m～1.5m，具有3°～5°的反坡	上下两阶的水平距离以设计造林行距为准。阶面应能在暴雨时全部或大部容纳入渗坡面径流，并据此确定阶面宽度和反坡坡度参数	用于半干旱地区山地坡面连续完整、坡度在15°～25°的造林地

续表 C

整地类型	整地规格	整地要求	应用条件
水平沟（竹节沟）整地	沟长 1.0m～4.0m，沟宽 0.4m～0.6m，沟深 0.4m～0.6m	水平沟沿等高线布设，根据设计的造林行距和坡面暴雨径流量确定上下两沟的行距和沟大小规格，沟的表土临时放置沟的上坡沟沿，待沟修挖完成后再回填至沟内，沟内挖出的生土用在外侧作埂	用于半干旱地区土层较厚，坡面连续完整、坡度在 15°～25°的造林地
开沟犁整地	沟长 50m～300m，沟宽 0.4m～0.6m，沟（行）距 2m～6m，沟深 0.3m～0.5m	开沟犁开沟整地后，沟内挖植树穴栽植，株（穴）距 2m～6m，沟深 0.3m～0.4m	用于半干旱地区土层较厚，坡面连续完整、坡度小于 15°的造林地
窄带梯田整地	田面宽 2m～3m，田边蓄水埂高 0.3m～0.5m，顶宽 0.3m	根据设计的树种行距和坡面暴雨径流量确定上下两台梯田的间距及田边埂高度。田面修平后宜将挖方部分用畜力耕翻 0.3m，在田面中部挖穴植树，田面上每隔 5m～10m 修一横档，并分段设置溢水口	适用于坡度较缓、土层较厚的地方营造经济林树种或其他对立地条件要求较高的生态经济型树种

附录D 防风固沙林工程主要树种适宜密度

表D 防风固沙林工程主要树种适宜密度表(株/公顷)

树种＼分区	东北地区	西北、华北地区	黄河中下游地区	长江流域地区	青藏高原地区
红松	2500～3300	—	—	—	—
落叶松	2000～2500	2500～3300	2000～2500	—	—
樟子松	1650～2500	1650～2500	1650～2500	—	—
云杉、冷杉	2500～3300	2500～3300	1650～2500	1650～2250	1650～3300
侧柏、柏木	2000～3000	—	2500	2500	1650～2500
油松、黑松、白皮松	2500	1667～2500	2500	2000～2500	1050～1350
白桦	1600～2000	1600～2000	1600～2000	1600～2000	1600～2000
胡桃楸、水曲柳、黄菠萝	2500	—	2500	—	—
蒙古栎、辽东栎、槲栎	1500～2000	—	1500～2000	—	—
白蜡	—	—	1200～2200	1150～2200	—
榆树	1350～2000	1650～2500	1000～1600	—	—
椴树	1667～2500	—	1200～2000	1250～2000	—
杨树	600～1650	700～1200	600～1650	—	—
刺槐	1200～2500	1200～2250	1650～2500	750～900	—
泡桐	—	—	195～1500	195～750	400～800
栲、红椎、米槠、甜椎、青檀	—	—	—	900～1200	900～1050

续表 D

分区 树种	东北地区	西北、华北地区	黄河中下游地区	长江流域地区	青藏高原地区
华山松、黄山松	—	—	1650～3000	1200～2500	1200～2500
云南松、思茅松、高山松	—	—	—	—	1200～2500
马尾松、火炬松、湿地松	—	—	—	900～1800	900～1500
杉木	—	—	—	1050～2000	1500～3300
水杉、池杉、落羽杉、水松	—	—	—	1250～2000	1200～2000
秃杉、油杉	—	—	—	1250～2000	1200～2000
柳杉	—	—	—	1250～2000	1200～1650
香樟	—	—	—	810～1000	—
楠木、红豆树	—	—	—	1050～1800	900～1500
木荷、火力楠、观光木、含笑	—	—	—	1200～2250	1050～1800
栓皮栎、麻栎、槲栎、锐齿栎、锥栎	—	—	630～1200	810～1800	810～1800
青冈栎、桤木	—	—	—	1500～2500	—
喜树	—	—	—	1050～1800	900～1500
相思类	—	—	—	1200～1800	—
木麻黄	—	—	—	1500～2500	—
苦楝、川楝、麻楝	—	—	750～1000	450～750	450～600
香椿、臭椿、红椿	—	—	—	900～1500	600～1350

续表 D

树种＼分区	东北地区	西北、华北地区	黄河中下游地区	长江流域地区	青藏高原地区
桉树	—	—	—	1200～1600	1050～1600
黑荆树	—	—	—	1600	1660～2000
马褂木	—	—	—	1250～1650	1250～1650
楸树	—	—	—	750～900	—
枫杨	—	—	—	450～625	500～620
南洋楹	—	—	—	630～900	—
毛竹、麻竹	—	—	—	450～600	—
丛生竹	—	—	—	450	—
秋茄、白骨壤、木榄	—	—	—	5000～6000	—
无瓣、海桑、红海榄等	—	—	—	3300～4400	—
密油枝、黄荆、马桑	—	—	—	1500～2500	—
山苍子	—	—	—	3000～4500	—
沙柳、毛条、柠条、柽柳	—	1240～3000	1240～3000	—	—
花棒、沙拐枣、梭梭	—	660～1650	660～1650	—	—
沙棘、紫穗槐、山皂角、花椒、枸杞	1650～2500	1650～2500	1650～2500	—	—
锦鸡儿、山竹子	800～1500	1500～2500	800～1500	—	—
山杏、山桃	350～500	450～650	350～500	—	—

本规范用词说明

1 为便于在执行本规范条文时区别对待，对要求严格程度不同的用词说明如下：

1）表示很严格，非这样做不可的：

正面词采用“必须”，反面词采用“严禁”；

2）表示严格，在正常情况下均应这样做的：

正面词采用“应”，反面词采用“不应”或“不得”；

3）表示允许稍有选择，在条件许可时首先应这样做的：

正面词采用“宜”，反面词采用“不宜”；

4）表示有选择，在一定条件下可以这样做的，采用“可”。

2 条文中指明应按其他有关标准执行的写法为：“应符合……的规定”或“应按……执行”。

引用标准名录

《主要造林树种苗木》GB 6000
《林木种子》GB 7908
《飞机播种造林技术规程》GB/T 15162
《封山（沙）育林技术规程》GB/T 15163
《造林技术规程》GB/T 15776
《森林抚育规程》GB/T 15781
《生态公益林建设技术规程》GB/T 18337.3
《林业工程制图标准》LYJ 002
《飞机播种治沙造林技术》LY/T 1186
《绿洲防护林体系建设技术规程》LY/T 1682
《林业地图图式》LY/T 1821
《容器育苗技术》LY/T 10000
《无线通信设备电磁照射符合性要求》YD/T 2194.1

中华人民共和国国家标准

防风固沙林工程设计规范

GB/T 51085-2015

条 文 说 明

制订说明

《防风固沙林工程设计规范》GB/T 51085—2015 经住房城乡建设部 2015 年 3 月 8 日以第 779 号公告公布。

本规范在编制过程中，编制组进行了广泛深入的调查研究，认真总结了防风固沙林工程设计及多年来防风固沙林工程建设实践经验，参考了国外相关标准和先进经验。

本规范主要包括防风固沙林工程设计综合调查、总平面图设计、营造林工程设计、森林保护工程设计、配套工程设计等内容。

为便于广大设计人员在使用本规范时能正确理解和执行条文规定，《防风固沙林工程设计规范》编制组按章、节、条顺序编制了本规范的条文说明，对条文规定的目的、依据以及执行中需要注意的有关事项进行了说明。但是，本条文说明不具备与规范正文同等的法律效力，仅供使用者作为理解和把握规范规定的参考。

目　　次

1 总　　则

1.0.1 制订本规范的目的和意义。

1.0.2 本规范的适用范围。本规范所指的防风固沙林是广义的，包括灌木林防风固沙林和防风固沙竹林。

1.0.3～1.0.6 本规范编制的主要依据，必须遵守的法律、法规、条例和规章。防风固沙林工程涉及专业比较多，相关专业的强制性标准均需执行。

3 综合调查

3.1 一般规定

3.1.1 编制综合调查方案的要求，不仅要在调查内容上涵盖工程区自然和社会条件，不得重漏项，而且还需要按照一定的建设程序进行。

3.1.2 绘制防风固沙林工程设计时，对社会自然经济条件调查的要求。

3.2 专业调查

3.2.1～3.2.4 分别规定了各专业的调查方法和内容。

3.2.5、3.2.6 规定了路线调查的方法和内容。

3.3 小班区划调查

3.3.1～3.3.3 规定了小班区划调查的依据、方法、面积及调查必须记载的项目。

3.4 栽植材料调查

3.4.1、3.4.2 规定栽植材料调查包括的项目、内容、指标、面积和权属等情况。

3.4.3～3.4.5 规定苗圃、母树林、种子园、采穗圃、辅助工程等调查项目包括的位置、立地特性、面积、生态环境、树种、林龄、指标、权属及辅助工程或设施等情况。

4 总平面图设计

4.1 一般规定

4.1.1 规定了总平面设计方案在设计内容上不仅要系统完整、涵盖全面、不重不漏，而且应经实地勘察及方案比选、论证及优化后形成。

4.1.2 规定了总平面图设计，以及对底图基本要素与比例尺的要求。

4.2 总平面图制图

4.2.1～4.2.3 规定了防风固沙林工程总平面图设计时，现场勘察及方案比选、论证和优化方面的要求；规定了防风固沙林工程的交通运输路网、森林防火路网、森林防火隔离带网、森林防火林带网设计应统筹布设、相互协调，并要考虑方案比选、分期建设衔接、内外部路网衔接等方面的内容。

4.2.4、4.2.5 规定了防风固沙林工程竖向设计应与总平面设计同步进行，竖向设计应考虑经济适用、利于排水、建筑布置、空间环境设计等方面的要求。

4.3 图面要求

4.3.1～4.3.5 规定了防风固沙林工程总平面设计色彩、各类符号、比例尺及设计单位、设计人、制图时间等要素的图面布局要求。

5 营林造林工程设计

5.1 一般规定

5.1.1 明确了营林造林工程设计包括的主要内容。

5.1.2 规定了营林造林工程设计应遵循的原则，包括土地、环保、节能节水、原生植被保护、林分结构和生物多样性保护等方面的要求。

5.2 新建防风固沙林工程设计

5.2.1 规定了营造防风固沙林的树种应遵循适地、适树、适种源的原则。

5.2.2、5.2.3 规定了防风固沙林工程在种子、苗木质量方面的要求，对于规范中没有提及的要求，应参照行业内相关的标准和规范执行。

5.2.4 规定了防风固沙林工程应根据当地的实际情况选择合适的树种和配置比例。

5.2.5 规定了防风固沙林工程不同整地类型的整地规格与应用条件。

5.2.6 规定了防风固沙林工程应考虑立地条件、光照水源、林分密度、树冠发育状况、结实能力等方面的要求。附录D规定了防风固沙林工程不同分区、不同树种造林适宜密度。

5.2.15 规定了防风固沙林的施肥、灌溉的要求。

5.3 低效益防风固沙林改造工程设计

5.3.1 规定了低效益防风固沙林改造应符合的技术条件。

5.3.2 规定了不同低效益防风固沙林改造方式已采用的改造技术与方法。

6 森林保护工程设计

6.1 一 般 规 定

6.1.1 规定了防风固沙林森林保护工程设计应包括的具体内容。

6.1.2 规定了森林保护工程设计的指导思想和原则，森林保护工程设计是防风固沙林工程设计的重要组成部分。

6.1.3 森林保护工程设计必须以提高工程防护效益为目标，规定了其应遵循的基本原则。

6.2 森 林 防 火

6.2.1 规定了防风固沙林工程中森林防火工程设计的主要内容。

6.2.2、6.2.3 规定了防风固沙林工程中森林火险气象预测预报站建设的技术要求和防风固沙林工程火情瞭望监测系统建设的技术要求。

6.2.4、6.2.5 规定了防风固沙林工程防火阻隔带网设置的技术指标和特殊情况下隔离措施的设计条件。

6.3 林业有害生物防治工程

6.3.1～6.3.3 规定了林业有害生物防治工程应遵循的基本原则和防治方法。

6.3.4 规定了作为应急措施的化学防治，选用农药的类型、剂量、施药方法的具体要求和农药残留标准。

6.3.5 规定了对防风固沙林内发生感病植株进行控制措施的具体要求。

6.4 其他灾害防治

6.4.1 规定了防风固沙林播种育苗，在幼苗出土时需要考虑的防治措施。

6.4.2 规定了防风固沙林新造林地、未成林对造林地鼠、兔危害的防治措施。

6.4.3～6.4.5 规定了防风固沙林霜害、冻害和风害的防治措施。

7 配套工程设计

7.1 一般规定

7.1.1～7.1.7 规定了防风固沙林工程配套建(构)筑工程的布设,应本着满足需要、节约资源、合理利用的原则布设,既要保证功能的发挥,又要与周边环境相协调,还要考虑发展的需要。

7.2 管护用房

7.2.1 规定了管护用房建设的主体工程和辅助工程的主要建设内容,要求辅助工程的建筑工程量不应超过主体建筑工程量的20%。

7.2.2、7.2.3 规定了防风固沙林工程中管护用房的建设要求及设计的技术要求。

7.3 道路工程

7.3.1～7.3.7 规定了防风固沙林工程道路工程的路网建设等级、功能及应执行的技术标准。本规范没有提及的标准应按照林区道路相关标准执行。

7.4 其他工程

7.4.1～7.4.3 规定了防风固沙林工程包括的给水工程、管护用房、种子园、母树林、苗圃和各种站点的供水方式以及林地的排水工程建设内容的技术要求。

7.4.4～7.4.8 规定了防风固沙林工程给排水工程、管护用房、供电工程、供热工程、通信工程、有线广播和电视工程设计应遵循的有关规定。

统一书号：1580242·747

定　　价：12.00元